U0064371

劉福春・李怡 主編

民國文學珍稀文獻集成

第三輯

新詩舊集影印叢編　第109冊

【臧克家卷】

烙印

1・1933 年 7 月自印

2・上海：開明書店 1934 年 3 月初版

臧克家　著

花木蘭文化事業有限公司

國家圖書館出版品預行編目資料

烙印／臧克家　著－初版－新北市：花木蘭文化事業有限公司，2021〔民110〕

72面／86面；19×26公分

（民國文學珍稀文獻集成・第三輯・新詩舊集影印叢編　第109冊）

ISBN 978-986-518-473-5（套書精裝）

831.8　　10010193

民國文學珍稀文獻集成・第三輯・新詩舊集影印叢編（86-120冊）
第109冊

烙印

著　　者　臧克家
主　　編　劉福春、李怡
企　　劃　四川大學中國詩歌研究院
　　　　　四川大學大文學學派
總 編 輯　杜潔祥
副總編輯　楊嘉樂
編　　輯　許郁翎、張雅淋、潘玟靜　美術編輯　陳逸婷
出　　版　花木蘭文化事業有限公司
社　　長　高小娟
聯絡地址　235 新北市中和區中安街七二號十三樓
　　　　　電話：02-2923-1455／傳真：02-2923-1452
網　　址　http://www.huamulan.tw 信箱 service@huamulans.com
印　　刷　普羅文化出版廣告事業
初　　版　2021年8月
定　　價　第三輯86-120冊（精裝）新台幣88,000元

烙印

臧克家 著

臧克家（1905～2004），生於山東諸城。

一九三三年七月自印。原書三十六開。

烙印

序

克家催我給他的詩集作序，整催了一年。他是有理由的。便拿「生活」一詩講，據許多朋友說，並不算克家的好詩，但我始終却極重視它，而克家自己也是這樣的。我們這意見的符合，可以證實，由克家自已看來，我是最能懂他的詩了。我現在不妨明說，「生活」確乎不是這集中最精彩的作品，但却有令人不敢藐視的價値，而這價値也便是這全部詩集的價値。

克家在「生活」裏說：

這可不是混着好玩，這是生活。

這不曾給他的全集下了一道案語，因為克家的詩正是這樣—不是「混着好玩」，而是「生活」。 其實祇要你帶着笑臉，存點好玩的意思來寫詩，不愁沒有人給你叫好。 所以作一首尋常所謂好詩，不是最難的事。 但是，做一首有意義的，在生活上有意義的詩，卻太不同。 克家的詩，沒有一首不具有一種極頂眞的生活的意義。 沒有克家的經驗，便不知道生活的嚴重。

　　一萬枝暗箭埋伏在你周邊，
　　伺候你一千回小心裏一回的不檢點，

這眞不是好玩的。 然而他偏要

　　嚼着苦汁營生，
　　像一條吃巴豆的蟲。

他咬緊牙關和磨難苦鬥，他還說，

同時你又怕克服了它，

來一陣失却對手的空虛。

這樣生活的態度不夠寶貴的嗎？ 如果爲保留這一點，而忽略了一首詩的外形的完美，誰又能說是不合算？克家的較壞的詩既具有這種不可褻視的實質，他的好詩，不用講，更不是尋常的好詩所能比擬的了。

所謂有意義的詩，當前不是沒有。 但是，沒有克家自身的「嚼着苦汁營生」的經驗，和他對這種經驗的了解，單是嚷嚷着替別人的痛苦不平，或慫恿別人自己去不平，那至少往往像是一種「熱氣」，一種浪漫的姿勢，一種英雄氣概的表演，若更往壞處推測，使不免有傷厚道了。所以，克家的最有意義的詩，雖是「難民」，「老哥哥」，「炭鬼」，「神女」，「販魚郎」，「老馬」，「當壚女」，「洋車夫」，「歇午工」，以至「不久有那麼一天」和「天火」等篇，但是若沒有「烙印」和「生活」一類的作品作基礎，前面那些詩的意義便單薄了，甚至虛偽了。人們對於一件事，往往有追問它的動機的習慣，（他們也實在有這權利）對於詩，也是這樣。當我們對於一首詩的動機（意識或潛意識的）發生疑問的時候，我很擔心那首詩還有多少存在的可能性。讀克家的詩，這種疑問永不會發生，為的是有「烙印」和「生活」一類的詩給我們担保了。我再從歷史中舉一個例。作「新樂府」的白居易，雖讓

— IV —

嚷得很響，但究竟還是那位香山居士的閒情逸致的冗力(Surplus energy)的一種舒洩，所以他的嚷嚷實際祗等於貓兒哭耗子。孟郊並沒有作過成套的「新樂府」他如果哭，還是爲他自身的窮愁而哭的次數多，然而他的態度，沈著而有鋒稜，却最合於一個偉大的理想的條件。除了時代背境所產生的必然的差別不算，我拿孟郊來比克家，再適當不過了。

談到孟郊，我於是想起所謂好詩的問題。(這一層是我要對另一種人講的！)孟郊的詩，自從蘇軾以來，是不曾被人眞誠的認爲上品好詩的。站在蘇軾的立場上看孟郊，當然不順眼。所以蘇軾詆毀孟郊的詩，我並不怪他。我祗怪他爲什麽不索性野蠻一點，硬派孟郊所作的不是詩，他自己的纔是。　因爲這樣，問題倒簡單了。　既然他們是站在對立而且不兩立的地位，那麼，蘇軾可以拿他的標準抹殺孟郊，我們何嘗不可以拿孟郊的標準否認蘇軾呢？　即令蘇軾和蘇軾的傳統有優先權佔用「詩」字，好了，讓蘇軾去他的，帶着他的詩去！　我們不要詩了。　我們祇要生活，生活磨出來的力，像孟郊所給我們的。　是「空螯」也好，是「蜇吻澀齒」或「如嚼木瓜，齒缺舌敝，不知味之所在」也好，我們還是要吃，因爲那才可以磨鍊我們的力。　那怕是毒藥，我們更該吃，祇要它能增加我們的抵抗力。　至於蘇軾的丰姿，蘇軾的天才，如果有人不明白那都是笑話，是罪孽，早晚他自然明白了。　早晚詩也會捫一下臉，來一個奇怪的變！一千餘年前孟郊已經給詩人們留下了預言。

克家如果跟着孟郊的指示走去，準沒有錯。縱然像孟郊似的，沒有成羣的人給叫好，那又有什麼關係。反正詩人不靠市價做詩。 克家千萬不要忘記自己的責任。

民國二十二年七月聞一多謹識。

目次

歇午工

難民

日頭墮到鳥巢裏，
黃昏還沒溶盡歸鴉的翅膀；
陌生的道路，無歸宿的薄暮，
把這羣人度到這座古鎮上。
沈重的影子，扎根在大街兩旁，
一簇一簇，像秋郊的禾堆一樣，
靜靜的，孤寂的，支撐着一個大的淒凉。
滿染征塵的古怪的服裝，
告訴了他們的來歷，

一張一張兒着陰影的臉皮，
說盡了他們的情況。
螺絲的炊烟牽動着一串親熱的眼光，
在這羣人心上抽出了一個不忍的想像：
「這時，黃昏正徘徊在古樹梢頭，
從無煙火的屋頂慢慢的漲大到無邊，
接着，陰森的凄涼吞了可憐的故鄉。」
鐵力的疲倦，連人和想像一齊推入了朦朧，
但是，更猛烈的饑餓立刻又把他們牽回了異鄉。
像一個天神從夢裏落到這羣人身旁，
一隻灰色的影子，手裏亮出一支長槍，
一個小聲，在他們耳中開出天大的響：

— 2 —

「年頭不對，不敢留生人在鎮上。」
「唉！人到那裏災荒到那裏！」
一陣歎息，黃昏更加了蒼茫。
一步一步，這羣人走下了大街，
走開了這異鄉，
小孩子的哭聲亂了大人的心腸，
鐵門的響聲截斷了最後一人的脚步，
這時，黑夜爬過了古鎮的圍牆。

二，一九三二，古瑯琊。

憂患

應當感謝我們的仇敵。
他可憐你的靈魂快銹成了泥，
用炮火叫醒你，
衝鋒號鼓舞你，
把刺刀穿進你的胸，
叫你紅血絞着心痛，你死了，
心裏含着一個清醒。

應當感謝我們的仇敵。

— 4 —

他看見你的生活太不像樣子，
一隻手用上力，
推你到憂患裏，
好讓你自己去求生，
你會心和心緊靠攏，組成力，
促生命再度的向榮。

三，一九三二。

希望

自從宇宙帶來了缺陷，
人類爲了一種想念發狂，
精神上化出了一個影像，
那就是你—美麗的希望。
在沙漠上，疲倦困住了旅客的心，
他們的脚下墜着沈重，
一步一步趨近黃昏，
拖不動自己高大的影。
這時你是一泉清水，

遠遠的放出一點清響，
這聲響才觸到焦灼的心上，
他們即刻周身注滿了力量！
在暗夜裡，你是一星螢火，
拖着點誘惑的光，
在無邊的黑影中隱現，
你到底是眞實還是虛幻？
原來沒有一定的形像，
從人心上你偸了個模樣。
現實在你後面，像參星向辰星赶，
當中永遠隔一個黑夜，
在晨光中，參瞅白了眼，

望不見辰在天的那邊。
你把人類臉前安上個明天，
他們現在苦死了也不抱怨，
你老是發着美麗的大言，
從來不知道什麼叫紅臉。
人類追着你的背影乞憐，
你曾不給他們一次圓滿，
他們掩住口老不說厭倦，
你挾着他們的心永遠向前。
你也可以驕傲的自誇：
「我的遺跡造成了現世的榮華。」
你再加一句自謙：「這算了什麼，

前面的一切更叫你驚訝！」
我們情願癡心聽從你，
臉前的醜惡不拿它當回事，
你是一條走不完的天橋，
從昨天度到今天，從今天再度到明朝。

十，一九三二。

生活

這可不是混着好玩，這是生活，
一萬支暗箭埋伏在你周邊，
伺候你一千回小心裡一回的不檢點，
災難是天空的星羣，
它的光輝拖着你的命運。
希望是烏雲縫裏的一縷太陽，
是病人眼中最後的靈光，
然而人終須把它來自慰，
誰肯推自己到絕境的可憐？

—10—

過去可喜的一件件，
（說不清是眞還是幻）
是一道殘虹染在西天，
記來全是黑影一片，
惟有這是眞實，爲了生活的掙扎
留在你心上的沈痛。
它會敎你從棘針尖上去認識人生，
從一點聲響上抖起你的心，
（那怕是春風吹着春花）
像一員武士在嘶馬聲裏想起了戰爭。
那你再不會合上眼對自己說：
「人生是一個無據的夢。」

更不會蒙寃似的不平，
給蚊虫呷一口，便輕口吐出那一大串詛咒。
在人生的劇幕上，你既是被排定的一個角色，
就當拚命的來一個痛快，
叫人們的臉色隨着你的悲歡漲落，
就連你自己也要忘了這是作戲。
你既胆敢闖進這人間，
有多大本領，不愁沒處施展，
當前的磨難就是你的對手，
運盡氣力去和它苦鬪，
累得你周身的汗毛都撐着汗珠，
但你須咬緊牙關不敢輕忽；

同時你又怕克服了它，
來一陣失却對手的空虛。
這樣，你活着帶一點倔强，
儘多苦澀，苦澀中有你獨到的眞味。

四，一九三三。

烙印

生怕回頭向過去望，
我狡猾的說「人生是個謊」，
痛苦在我上打個印烙，
刻刻警醒我這是在生活。

我不住的撫摩這印烙，
忽然紅光上灼起了毒火，
火花裏迸出一串歌聲，
件件唱着生命的不幸。

我從不把悲痛向人訴說，
我知道那是一個罪過，
渾沌的活着什麼也不覺，
既然是謎，就不該把底點破。

我嚼着苦汁營生，
像一條吃巴豆的虫，
把個心提在半空，
連呼吸都覺得沈重。

一九三二

天火

你把人生誇得那樣美麗，
像纔從柯上摘下來的，
在上面馳騁你靈幻的光，
畫上一個一個夢想。

這你也可以說是不懂：
濃雲把悶氣寫在天空，
蜻蜓成羣飛，帶着無聊，
那是一個什麼徵兆。

一個少女換不到一頓飯吃，
人肉和猪肉一樣上了市，
這事實眞驚人又新鮮，
你只管掩上眼說沒看見。

我知道你什麼都諳熟，
爲了什麼才裝做糊塗，
把事實上蓋上隻手，
你對人說：「什麼也沒有。」

人們有一點守不住安靜，
你把他斫頭再加個罪名，

這意義誰都看清，
你要從死灰裏逼出火星。

不過，到了那時你得去死，
宇宙已經不是你的，
那時火花在平原上灼，
你當驚歎：「奇怪的天火！」

一九三二

失眠

聽不到罪惡的喧囂，
也捉不到一點光，
血淋淋的我那顆心，
在黑影的濃處發亮。
糢糊的一切悲哀—
無聲的雨點打來，
一圈一圈黯淡的花朵，
向無邊的遠方開。

六，一九三二。

像粒砂

像粒砂，風挾你飛揚，
你自己也不知道要去的地方，
不要記住你還有力量，
更不要提起你心裏的那個方向。
從太陽冒紅，你就跟了風，
直到黃昏拋下黑影，
這時，天上不綴一顆星，
你可以抱緊草根靜一靜。

三，一九三二。

— 20 —

變

當我的生命嫩的像花苞，
每樣東西都朝着我發笑，
（現在不忍一件一件從頭數了。）
那時活着，像流水穿過花間，
拉長了一條希望的白鍊，
那時只顧赶着好玩，
一顆小心飛在半天，
誰記淸枉抛了歡情多少？
還有不值錢的笑。

這確乎不是才滾下了夢緣，
前日東西怎麼全變了臉？
回頭看自己年華的光輝，
顏色褪到了可憐的慘白，
低頭我在黑影中哭着找——
半截的心絃上掛滿了心跳，
然而我還有勇氣往下看，
我拭乾眼淚瞅着你們變。

二，一九三二。

不久有那麼一天

不要管現在是怎樣，等着看，
不久有那麼一天，
宇宙抈一下臉，來一個奇怪的變！
天空耀着一片白光，
黑暗嚇得沒處躲藏，
人，長上了翅膀，帶着夢飛，
賽過白鴿翻着淸風，
到處響着渾圓的和平。
醜惡失了形，美麗慌張着

找不到自己的影，
偶然記起前日的人生，
像一個超度了的靈魂
追憶幾度輪廻以前的穢形。
不過，現在你只管笑我愚，
就像笑這樣一個瘋子，
他說：「太陽是從西天出，
黃河的水是清的。」
這話于今叫我拿什麼証實？
陰天的地上原找不出影子，
但請你注意一件事：
暗夜的長翼底下，

伏着一個光亮的晨曦。

一九三一冬

萬國公墓

或許活着時都不相理，
現在一同飄零在這裡，
不是陌生，也沒有嫌惡，
這墳上花開向那墳去。

石碑在墳前，上面細鐫，
生前的榮華指給人看，
蒼苔慢慢兒藏起字跡，
他不會有心起來爭執。

— 26 —

有的光就是黃土一坏，
渺小也不會教他傷悲，
像是有意把身世沈埋，
守着一個永恒的自在。

頭頂的春鳥叫得多好，
再也不能引逗你們笑，
月下的秋虫叫的多悲，
也不能催落你們的淚。

你們也曾活在世界上，
曾經是朋友或是仇敵，

現在泥封了各人的口，
有話也只好悶在心頭。

五，一九三二。

都市的夜

一隊一隊，大的小的燈花，
爭開着興奮的光亮，
像一群月亮，滿天星，
飛下了碧空來祝人的高興。
幽靈一般的人群，各自馱一隻空殼，
雜沓的，飄忽的，渡過這銀色的光波，
有如海底的銀魚給月光刺醒了，
拖着隻影子驚慌的飛跑，
像向着什麼急赶，

又像什麼追踪在後面。
一座銀行莊嚴的陰影，
像一隻巨熊臥在當路，
有個人影，和着夢，
溶在這猙獰的黑影深處。
那彷彿是一個年青的姑娘，
露珠閃耀在飄蕩的髮上，
破爛的衣角在風前擺動，
像一群黑蝴蝶要衝入光明。
在他眼裡，光亮中的一切全是虛幻？
你瞧，對着這樣的繁華她閉上了眼！
讓那邊的月光在人們的腮上發亮，

睡夢中，她怯懦的守住一條黑線。
曙色照破了都市的夜景，
担起一個沈重的宇宙，她醒了一場夢。

二，一九三三。

老馬

總得叫大車裝個够，
他橫豎不說一句話，
背上的壓力往肉裡扣，
他把頭沈重的垂下！

這刻不知道下刻的命，
他有淚祇往心裏嚥，
眼裡飄來一道鞭影，
他抬起頭望望前面。

四，一九三二。

老頭兒

這樣一個老頭兒，
該是向爐火炙着閒適的時候了，
看他在這深巷中亂跑，
冷風吹着白鬚飄搖。

從這頭剛跑到那頭，
原步又把他度回來了，
脚尖上挾着神奇的狂暴，
像無處可去，宇宙太小了。

他口裡一勁的唧噥，
像破蘆管摩擦着西風，
唧噥的樣子眞像是詛咒，
但是，什麼觸怒了這老頭？

天是太冷，他在詛咒風？
不就是詛咒自己太老了，
可惜沒有人能夠聽清，
不然，定能找出更辣的眞情。

有人說，這老兒莫非是瘋了，
大冷的晚上，怎麼不歇在家裡？

這可沒有誰知道，
也許他眞是瘋了。

一個老頭兒在黑巷中亂跑，
冷風吹着他的白鬚飄搖，
他口裡一勁的唧噥，
可惜沒人能够聽淸。

一二，一九三二。

老哥哥

「老哥哥．翻些破衣裳幹嗎？
快把它堆到炕角裡去好了」。
「小孩子，不要鬧，時候已經不早了！」
（你不見日頭快給西山接去了？）
「老哥哥，昨天晚上你不是應許
今天說個更好的故事嗎？」
「小孩子，這時你還叫我說什麼呢？」
（這時你叫他從那兒說起？）
「老哥哥，你這剎對我好，

大了我賺錢養你的老。」
「小孩子，你爸爸小時也會這樣說了。」
（現在赶他走不算錯，小時的話那能當眞呢。）
「老哥哥，沒聽說你有親人，
你也有一個家嗎？」
「小孩子，你這兒不是我的家呀！」
（你問他的家有什麼意思？）
「老哥哥，你才到俺家時，我爸爸
不是和我這時一樣高？」
「小孩子，你問些這個幹什麼？」
（過去的還提它幹甚麼？）
「老哥哥，你爲什麼不和以前一樣

好好哄我玩了？」

「小孩子，是誰不和以前一樣了？」

（這，你該去問問你的爸爸。）

「老哥哥，傍落日頭了，牛餓的叫，

你快去喂它把草。」

「小孩子，你放心，牛不會餓死的呀！」

（能喂牛的人不多的很嗎？）

「老哥哥，快不收拾吧，你瞧屋裡全黑了，

快些去把大門關好。」

「小孩子，不要催，我就收拾好了。」

（他走了，你再叫別人把大門關好。）

「老哥哥呀，你……你怎麼背着東西走了？

我去和我爸爸說。」
「小孩子，不要跑，你爸爸最先知道。」
（叫他走了吧，他已經老的沒用了！）

三，一九三二。

炭鬼

鬼都望着害怕的黑井筒，
眞奇怪，偏偏有人活在裡邊，
未進去之先，還是親手用指印
在生死文書上寫着情願。

沒有日頭和月亮，
晝夜連成了一條線，
活着專爲了和炭塊對命，
是幾時結下了不解的仇怨？

—40—

他們的臉是暗夜的天空，
汗珠給它流上條銀河，
放射光亮的一雙眼睛，
像兩個月亮在天空閃爍。

你不要愁這樣的日子沒法消磨，
他們的生命隨時可以打住：
魔鬼在壁峯上點起天火，
地下的神水突然湧出。

他們不會把死放在心上，
常拿夥伴的慘死說着玩，

他們把死後的撫卹
和妻子的生活連在一起看。
他們也有個快活的時候，
當白乾直向喉嚨裡灌，
一直醉成一朵泥塊，
黑花便在夢裡開滿。
別看現在他們比豬還蠢，
有那一天，心上迸出個突然的勇敢，
搗碎這黑暗的囚牢，
頭頂落下一個光天。

五，一九三二。

— 42 —

神女

天生一雙輕快的脚，
風一般的往來周旋，
細的香風飄在衣角，
她衣上的花朶開滿了愛戀。
（她從沒說過一次疲倦。）

她會用巧妙的話頭，
敲出客人苦澀的歡喜，
她更會用無聲的眼波，

給人的心塗上甜蜜。
（她從沒吐過一次心跡。）

紅色綠色的酒，
開一朶春花在她臉上，
肉的香氣比酒還醉人，
她的青春火一般的狂旺。
（青春跑的多快，她沒暇去想。）

她的喉嚨最適合歌唱，
一聲一聲打的你心響，
歡情，悲調，什麼都會唱，

— 44 —

只管說出你的願望。
（她自己的歌從來不唱。）

她獨自支持着一個孤夜，
燈光照着四壁幽悵，
記憶從頭一齊亮起，
噓一口氣，她把眼合上。
（這時，宇宙只有她自己。）

一九三三元旦

當爐女

去年，什麼都是他一手担當，
喉嚨裏，痰呼呼的響，
應和着手裡的風箱，
她坐在門檻上守着安詳，
小兒在懷裏，大兒在腿上，
她眼睛裏笑出了感謝的靈光。

今年，是她親手拉風箱，
白絨繩拖在散亂的髮上，

大兒捧住水瓢蹀躞着分忙，
小兒在地上打轉，哭的發了狂，
她眼盯住他，手却不停放，
敢果咬住牙根：「什麼都由我承當！」

八，一九三二。

洋車夫

一片風嘯湍激在林梢，
雨從他鼻尖上大起來了，
車上一盞可憐的小燈，
照不破四周的黑影。

他的心是個古怪的謎，
這樣的風雨全不在意，
呆着像一隻水淋鷄，
夜深了，還等什麼呢？

一九三二

— 48 —

販魚郎

魚在殘陽中閃金光，
大家的眼亮在魚身上，
稱桿在他手底一上一下，
他的臉是一句苦話。

人們提着魚散了陣，
把他剩給了黃昏，
兩隻空筐朝他看，
像一雙失望的眼。

「天大的情面借來的本錢，
末了賺回了不够一半，
早起晚眠那不敢抱怨，
本想在苦碗底撈頓飽飯。」

暗中潮起一陣腥氣，
銀元譏笑在他的手裏，
雙手拾起了空筐，當他想到：
家裏挨着餓的希望。

四，一九三二。

漁翁

一張古老的帆篷，
來去全憑着風，
大的海，一片荒涼，
到處飄泊到處是家。
老練的手
不怕風濤大，
船頭在浪頭上
衝起朵朵白花。
夕陽裏載一船雲霞，

靜波上把冷夢泊下，
三月裏披一身煙雨，
臘月天飄一簑衣雪花。
一支櫓，曳一道水紋，
駛入了深色的黃昏，
在清冷的一絃星光上
撥出一串寂寞的歌。
聽不盡的濤聲，
一陣大，一陣小——
饑困的吼叫，冷落的歎息
飄滿海夜了。
死沈沈的海上，

亮着一點火，
那就是我的信號，
啓示的不是神秘，是凄凉。

六，一九三三。

歇午工

放下了工作，
什麼都放下了，
他們要睡——
睡着了，
舖一面大地，
蓋一身太陽，
頭枕著一條疏淡的樹蔭，
這個的手搭上了那個的胸膛。
一根汗毛，
挑一顆輕容的汗珠，

汗珠裏亮著坦蕩的舒服。
陽光下，鐵色的皮膚上
開一大片白花，
粗暴的鼾聲扣著
呼吸的均和。
沈睡的鐵翅蓋上了他們的心，
連個輕夢也不許傍近，
等他們靜靜地
睡過這困人的正晌，
爬起來，抖一下，
湧一身新的力量。

六，一九三三。

烙印

臧克家 著

開明書店（上海）一九三四年三月初版。原書五十開。

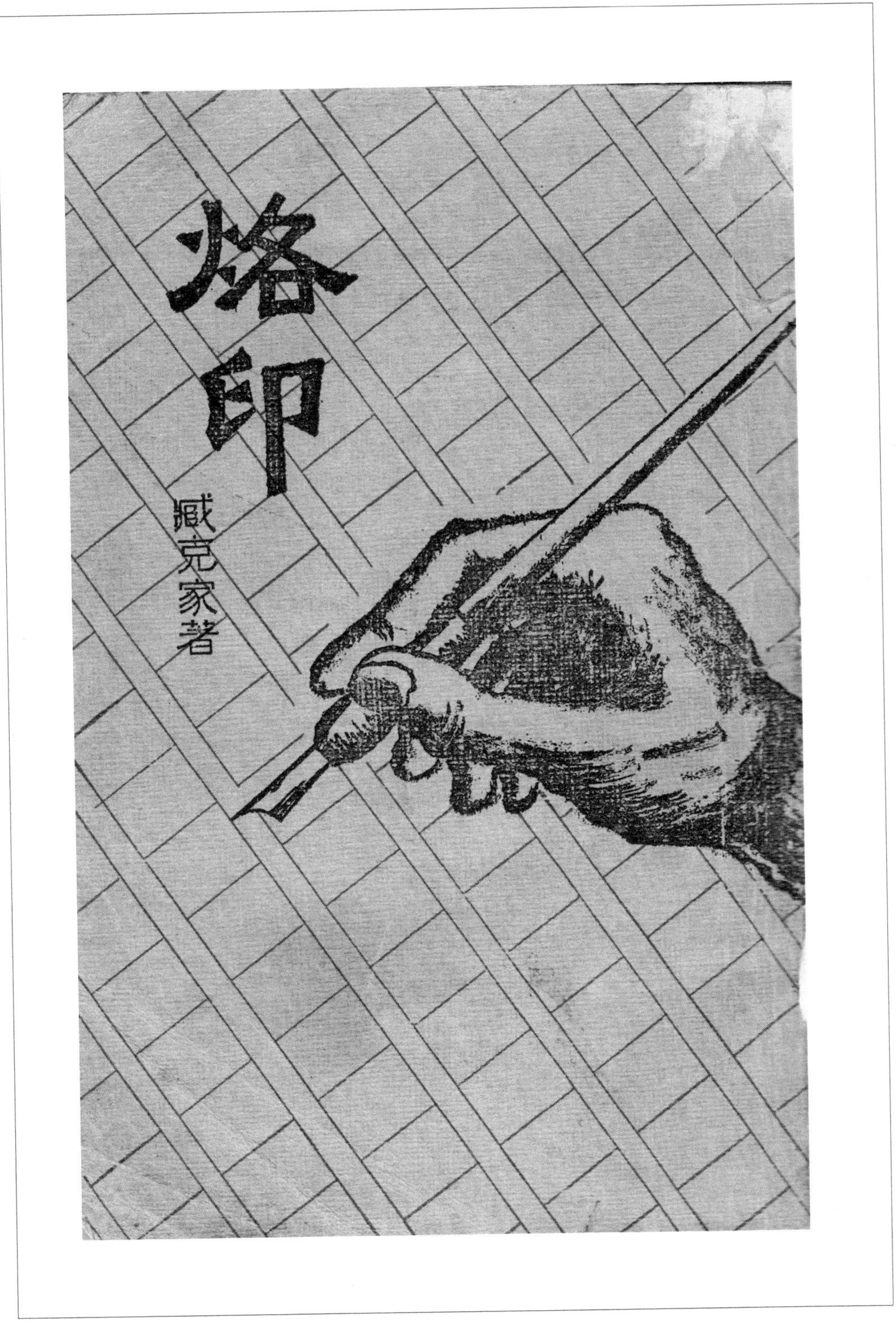
烙印
臧克家著

序

克家催我給他的詩集作序，整催了一年。他是有理由的。便拿「生活」一詩講，據許多朋友說，並不算克家的好詩，但我卻始終極重視它，而克家自己也是這樣的。我們這意見的符合，可以證實由克家自己看來，我是最能懂他的詩了。我現在不妨明說，「生活」確乎不是這集中最精彩的作品，但卻有令人不敢藐視的價值，而這價值也便是這全部詩集的價值。

克家在「生活」裏說：

這可不是混着好玩，這是生活。

這不啻給他的全集下了一道案語，因爲克家的詩正是這樣——不是「混着好玩」，而是「生活」。其實祇要你帶着笑臉，存點好玩的意思來寫詩，不愁沒有人給你叫好，所以作一首尋常所謂好詩，不是最難的事。但是，做一首有意義的，在生活上有意義的詩，卻大不同。克家的詩，沒有一首不具有一種極頂眞的生活的意義。 沒有克家的經驗，便不知道生活的嚴重。

一萬枝暗箭埋伏在你周邊，
伺候你一千回小心裏一回的不檢點，

這眞不是好玩的。 然而他偏要

嚼着苦汁營生，
像一條喫巴豆的蟲。

他咬緊牙關和磨難苦鬥，他還說，

同時你又怕克服了它，
來一陣失卻對手的空虛。

這樣生活的態度不夠寶貴的嗎？ 如果爲保留這一點，而忽略了一首詩的外形的完美，誰又能說是不合算？ 克家的較壞的詩既具有這種不可褻視的實質，他的好詩，不用講，更不是尋常的好詩所能比擬的了。

所謂有意義的詩，當前不是沒有。但是，沒有克家自身的「嚼着苦汁營生」的經驗，和他對這種經驗的了解，單是嚷嚷着替別人的痛苦不平，或慫恿別人自己去不平，那至少往往像是一種「熱氣」，一種浪漫的姿勢，一種英雄氣概的表演，若更往壞處推測，便不免有傷厚道了。所以克家的最有意義的詩，雖是「難民」，「老哥哥」，「炭鬼」，「神女」，「販魚郎」，「老馬」，「當爐女」，「洋車夫」，「歇午工」以至「不久有那麼一天」和「天火」等篇，但是若沒有「烙印」和「生活」一類的作品作基礎，前面那些詩的意義便單薄了，甚至虛偽了。人們對於一件事，往往有追問它的動機的習慣，（他們也實在有這權利）對於詩，也是這樣。當我們對於一首詩的動機（意識或潛意識的）發生疑問的時候，我很擔心那首詩還有多少存在的可能性。讀克家的詩，這種疑問永不會發生，為的是有「烙印」和「生活」一類的詩給我們擔保了。我再從歷史中舉一個例作。「新樂府」的白居易，雖嚷嚷得很響但究竟還是那位香山居士的閒情逸致的冗力(surplus energy) 的一種舒洩，所以他的嚷嚷實際祇等於貓兒哭耗子。孟郊並沒有作過成套的「新樂府」他如果哭還是爲他自身的窮愁而哭的次數多，然而他的態度，沈著而有鋒稜，卻最合於一個偉大的理想的條件。除了時代背境所產生的必然的差別不算，我拿孟郊來比克家，再適當不過了。

談到孟郊，我於是想起所謂好詩的問題。（這一層是我要對另一種人講的！）孟郊的詩，自從蘇軾以來，是不曾被人眞誠的認爲上品好詩的。站在蘇軾的立場上看孟郊，當然不順眼。所以蘇軾詆毀孟郊的詩。我並不怪他。我祇怪他爲什麼不索性野蠻一點，硬派孟郊所作的不是詩，他自己的纔是。因爲這樣，問題倒簡單了。既然他們是站在對立而且不兩立的地位，那麼，蘇軾可以拿他的標準抹殺孟郊，我們何嘗不可以拿孟郊的標準

否認蘇軾呢　卽令蘇軾和蘇軾的傳統有優先權佔用「詩」字好了，讓蘇軾去他的帶着他的詩去！　我們不要詩了。　我們祇要生活，生活磨出來的力，像孟郊所給我們的。　是「空螯」也好，是「蜇吻澀齒」或「如嚼木瓜，齒缺舌敝，不知味之所在」也好，我們還是要喫，因爲那才可以磨鍊我們的力。　那怕是毒藥，我們更該喫，祇要它能增加我們的抵抗力。　至於蘇軾的丰姿，蘇軾的天才，如果有人不明白那都是笑話，是罪孽，早晚他自然明白了。

早晚詩也會
　　捫一下臉來一個奇怪的變！

一千餘年前孟郊已經給詩人們留下了預言。

克家如果跟着孟郊的指示走去，準沒有錯。　縱然像孟郊似的，沒有成羣的人給叫好，那又有什麼關係？反正詩人不靠市價做詩。　克家千萬不要忘記自己的責任。

民國二十二年七月聞一多謹識。

目次

難民

日頭墮到鳥巢裏，
黃昏還沒溶盡歸鴉的翅膀，
陌生的道路，無歸宿的薄暮，
把這羣人度到這座古鎮上。
沈重的影子，札根在大街兩旁，
一簇一簇，像秋郊的禾堆一樣，
靜靜的，孤寂的，支撐着一個大的淒涼。
滿染征塵的古怪的服裝，
告訴了他們的來歷，
一張一張兜着陰影的臉皮，

說盡了他們的情況。
螺絲的炊烟牽動着一串親熱的眼光，
在這羣人心上抽出了一個不忍的想像；
「這時，黃昏正徘徊在古樹梢頭，
從無煙火的屋頂慢慢的漲大到無邊，
接着，陰森的淒涼吞了可憐的故鄉。」
鐵力的疲倦，連人和想像一齊推入了朦朧，
但是，更猛烈的饑餓立刻又把他們牽囘了異鄉。
像一個天神從夢裏落到這羣人身旁，
一隻灰色的影子，手裏亮出一支長槍，
一個小聲，在他們耳中開出天大的響：
「年頭不對，不敢留生人在鎮上。」

「唉人到那裏災荒到那裏」
一陣歎息，黃昏更加了蒼茫。
一步一步，這羣人走下了大街，
走開了這異鄉，
小孩子的哭聲亂了大人的心腸，
鐵門的響聲截斷了最後一人的腳步，
這時，黑夜爬過了古鎮的圍牆。

二，一九三二，古瑯琊。

憂患

應當感謝我們的仇敵。
他可憐你的靈魂快銹成了泥，
用礮火叫醒你，
衝鋒號鼓舞你，
把刺刀穿進你的胸，
叫你紅血絞着心痛，你死了，
心裏含着一個清醒。

應當感謝我們的仇敵。
他看見你的生活太不像樣子，

憂患

一隻手用上力，
推你到憂患裏，
好讓你自己去求生，
你會心和心緊靠攏，組成力，
促生命再度的向榮。

三，一九三二。

烙印

希望

自從宇宙帶來了缺陷，
人類爲了一種想念發狂，
精神上化出了一個影像，
那就是你——美麗的希望。
在沙漠上疲倦困住了旅客的心，
他們的脚下墜着沉重，
一步一步趨近黃昏，
拖不動自己高大的影。
這時你是一泉清水，
遠遠的放出一點清響，

希望

這聲響才觸到焦灼的心上
他們卽刻周身注滿了力量！
在暗夜裏你是一星螢火，
拖着點誘惑的光，
在無邊的黑影中隱現，
你到底是眞實還是虛幻？
原來沒有一定的形像，
從人心上你偸了個模樣。
現實在你後面像參星向辰星趕，
當中永遠隔一個黑夜，
在晨光中，參瞅白了眼，
望不見辰在天的那邊。

你把人類臉前安上個明天，
他們現在苦死了也不抱怨，
你老是發着美麗的大言，
從來不知道什麼叫紅臉。
人類追着你的背影乞憐，
你曾不給他們一次圓滿，
他們掩住口老不說厭倦，
你挾着他們的心永遠向前。
你也可以驕傲的自誇：
「我的遺跡造成了現世的榮華。」
你再加一句自謙「這算了什麼，
前面的一切更叫你驚訝！」

希望

我們情願癡心聽從你
臉前的醜惡不拿它當回事，
你是一條走不完的天橋，
從昨天度到今天，從今天再度到明朝。

十，一九三二。

生活

這可不是混着好玩，這是生活，
一萬支暗箭埋伏在你周邊，
伺候你一千回小心裏一回的不檢點，
災難是天空的星羣，
它的光輝拖着你的命運。
希望是烏雲縫裏的一縷太陽，
是病人眼中最後的靈光，
然而人終須把它來自慰，
誰肯推自己到絕境的可憐？

（說不清是眞還是幻）
是一道殘虹染在西天，
記來全是黑影一片，
惟有這是眞實，爲了生活的掙扎
留在你心上的沈痛。
它會教你從棘針尖上去認識人生，
從一點聲響上抖起你的心，
（那怕是春風吹着春花）
像一員武士在嘶馬聲裏想起了戰爭。
那你再不會合上眼對自己說：
「人生是一個無據的夢。」
更不會蒙寃似的不平，

給蚊蟲呷一口，便輕口吐出那一大串詛咒。
在人生的劇幕上，你既是被排定的一個角色，
就當拚命的來一個痛快，
叫人們的臉色隨着你的悲歡漲落，
就連你自己也要忘了這是作戲。
你既膽敢闖進這人間，
有多大本領，不愁沒處施展，
當前的磨難就是你的對手，
運盡氣力去和它苦鬬，
累得你周身的汗毛都擎着汗珠，
但你須咬緊牙關不敢輕忽；
同時你又怕克服了它，

來一陣失卻對手的空虛。
這樣，你活着帶一點崛強，
儘多苦澀，苦澀中有你獨到的眞味。

四，一九三三。

烙印

生怕回頭向過去望，
我狡猾的說「人生是個謊」，
痛苦在我心上打個印烙，
刻刻警醒我這是在生活。

我不住的撫摩這印烙，
忽然紅光上灼起了毒火，
火花裏迸出一串歌聲，
件件唱着生命的不幸。

我從不把悲痛向人訴說，
我知道那是一個罪過，
渾沌的活着什麽也不覺，
既然是謎，就不該把底點破。

我嚼着苦汁營生，
像一條喫巴豆的蟲，
把個心提在半空。
連呼吸都覺得沉重。

一九三二。

烙印

天火

你把人生誇得那樣美麗，
像纔從柯上摘下來的，
在上面馳騁你靈幻的光，
畫上一個一個夢想。

這你也可以說是不懂：
濃雲把悶氣寫在天空，
蜻蜓成羣飛，帶着無聊，
那是一個什麽徵兆。

一個少女換不到一頓飯吃，
人肉和猪肉一樣上了市，
這事實眞驚人又新鮮，
你只管掩上眼說沒看見。

我知道你什麼都諳熟，
爲了什麼才裝做糊塗，
把事實上蓋上隻手，
你對人說：「什麼也沒有」。

人們有一點守不住安靜，
你把他斫頭再加個罪名，

這意義誰都看清，
你要從死灰裏逼出火星。

不過，到了那時你得去死，
宇宙已經不是你的，
那時火花在平原上灼，
你當驚歎：「奇怪的天火！」

一九三二。

失眠

聽不到罪惡的喧嚷，
也捉不到一點光，
血淋淋的我那顆心，
在黑影的濃處發亮。
糢糊的一片悲哀——
無聲的雨點打來，
一圈一圈黯淡的花朵，
向無邊的遠方開。

六，一九三二。

像粒砂

像粒砂，風挾你飛揚，
你自己也不知道要去的地方，
不要記住你還有力量，
更不要提起你心裏的那個方向。

從太陽冒紅，你就跟了風，
直到黃昏拋下黑影，
這時，天上不綴一顆星，
你可以抱緊草根靜一靜。

三，一九三二。

變

當我的生命嫩的像花苞，
每樣東西都朝着我發笑，
（現在不忍一件一件從頭數了）。
那時活着，像流水穿過花間，
拉長了一條希望的白鍊，
那時只顧趕着好玩，
一顆小心飛在半天，
誰記清枉拋了歡情多少？
還有不值錢的笑。
這確乎不是才滾下了夢緣，

21

前日的東西怎麼全變了臉
回頭看自己年華的光輝，
顏色褪到了可憐的慘白，
低頭我在黑影中哭着找——
半截的心絃上掛滿了心跳，
然而我還有勇氣往下看，
我拭乾眼淚瞅着你們變。

二，一九三二。

不久有那麼一天

不要管現在是怎樣，等着看，
不久有那麼一天，
宇宙拶一下臉，來一個奇怪的變！
天空耀着一片白光，
黑暗嚇得沒處躲藏，
人，長上了翅膀，帶着夢飛，
賽過白鴿翻着清風，
到處響着渾圓的和平。
醜惡失了形，美麗慌張着
找不到自己的影，

偶然記起前日的人生，
像一個超度了的靈魂
追憶幾度輪迴以前的穢形。
不過現在你只管笑我愚，
就像笑這樣一個瘋子，
他說：「太陽是從西天出，
黃河的水是清的。」
這話於今叫我拿什麼證實？
陰天的地上原找不出影子，
但請你注意一件事：
暗夜的長翼底下，
伏着一個光亮的晨曦。

一九三一，冬。

25

萬國公墓

或許活着時都不相理，
現在一同飄零在這裏，
不是陌生，也沒有嫌惡，
這墳上花開上那墳去。

石碑在墳前，上面細鐫，
生前的榮華指給人看，
蒼苔慢慢兒藏起字跡，
他不曾有心起來爭執。

烙印　26

有的光就是黃土一坏，
渺小也不會教他傷悲，
像是有意把身世沈埋，
守着一個永恆的自在。

頭頂的春鳥叫得多好，
再也不能引逗你們笑，
月下的秋蟲叫得多悲，
也不能催落你們的淚。

你們也曾活在世界上，
曾經是朋友或是仇敵，

現在泥封了各人的口，
有話也只好悶在心頭。

五，一九三二。

都市的夜

一隊一隊，大的小的燈花，
爭開着興奮的光亮，
像一羣月亮，滿天星，
飛下了碧空來趁人的高興。
幽靈一般的人羣，各自馱一隻空殼，
雜沓的，飄忽的，渡過這銀色的光波，
有如海底的銀魚給月光刺醒了，
拖着隻影子驚慌的飛跑，
像向着什麼急趕，
又像什麼追踪在後面。

一座銀行莊嚴的陰影，
像一隻巨熊臥在當路，
有個人影，和着夢，
溶在這猙獰的黑影深處。
那彷彿是一個年青的姑娘，
露珠閃耀在飄蕩的髮上，
破爛的衣角在風前擺動，
像一羣黑蝴蝶要衝入光明。
在他眼裏，光亮中的一切全是虛幻？
你瞧，對着這樣的繁華她閉上了眼！
讓那邊的月光在人們的腮上發亮，
睡夢中，她怯懦的守住一條黑線。

曙色照破了都市的夜景，
擔起一個沈重的宇宙，她醒了一場夢。

二，一九三三。

老馬

總得叫大車裝個夠，
他橫豎不說一句話，
背上的壓力往肉裏扣，
他把頭沈重的垂下！

這刻不知道下刻的命，
他有淚祇往心裏嚥，
眼裏飄來一道鞭影，
他擡起頭望望前面。

四，一九三二。

老頭兒

這樣一個老頭兒，
該是向爐火炙着閒適的時候了，
看他在這深巷中亂跑，
冷風吹着白鬚飄搖。

從這頭剛跑到那頭，
原步又把他度囘來了，
脚尖上挾着神奇的狂暴，
像無處可去宇宙太小了。

老頭兒

他口裏一勁的唧噥，
像破蘆管摩擦着西風，
唧噥的樣子眞像是詛咒，
但是，什麼觸怒了這老頭？

天是太冷，他在詛咒風？
不就是詛咒自己太老了，
可惜沒有人能夠聽清，
不然，定能找出更辣的眞情。

有人說，這老頭莫非是瘋了，
大冷的晚上，怎麼不歇在家裏？

這可沒有誰知道，
也許他眞是瘋了。

一個老頭兒在黑巷中亂跑，
冷風吹着他的白鬚飄搖，
他口裏一勁的唧噥，
可惜沒人能夠聽淸。

一二，一九三二。

35

老哥哥

「老哥哥，翻些破衣裳幹嗎？
快把它堆到炕角裏去好了。」
「小孩子，不要鬧，時候已經不早了！」
（你不見日頭快給西山接去了？）
「老哥哥，昨天晚上你不是應許
今天說個更好的故事嗎？」
「小孩子，這時你還叫我說什麼呢？」
（這時你叫他從那兒說起？）
「老哥哥，你這刹對我好，
大了我賺錢養你的老。」

「小孩子，你爸爸小時也曾這樣說了。」

（現在提他未不算錯，小時的話那能當眞呢。）

「老哥哥沒聽說你有親人，

你也有一個家嗎？」

「小孩子，你這兒不是我的家呀！」

（你問他的家有什麼意思？）

「老哥哥，你才到俺家時，我爸爸

不是和我這時一樣高？」

「小孩子，你問些這個幹什麼？」

（過去的還提它幹甚麼？）

「老哥哥，你爲什麼不和以前一樣

好好哄我玩了？」

「小孩子，是誰不和以前一樣了？」
（這，你該去問問你的爸爸。）
「老哥哥，傍落日頭了，牛餓的叫，
你快去喂它把草。」
「小孩子，你放心，牛不會餓死的呀！」
（能喂牛的人不多的很嗎？）
「老哥哥快不收拾吧，你瞧屋裏全黑了，
快些去把大門關好。」
「小孩子，不要催，我就收拾好了。」
（他走了，你再叫別人把大門關好。）
「老哥哥呀，你……你怎麼背着東西走了？
我去和我爸爸說。」

38

「小孩子，不要跑，你爸爸最先知道。」

(叫他走了吧，他已經老的沒用了！)

[illegible]一九三二。

39

炭鬼

鬼都望着害怕的黑井筒，
眞奇怪，偏偏有人活在裏邊，
未進去之先，還是親手用指印
在生死文書上寫着情願。

沒有日頭和月亮，
晝夜連成了一條線，
活着專爲了和炭塊對命，
是幾時結下了不解的仇怨？

他們的臉是暗夜的天空，
汗珠給它流上條銀河，
放射光亮的一雙眼睛，
像兩個月亮在天空閃爍。

你不要愁這樣的日子沒法消磨，
他們的生命隨時可以打住：
魔鬼在壁峯上點起天火，
地下的神水突然湧出。

他們曾不把死放在心上，
常拿夥伴的慘死說着玩，

他們把死後的撫卹
和妻子的生活連在一起看。

他們也有個快活的時候，
當白乾直向喉嚨裏灌，
一直醉成一朵泥塊，
黑花便在夢裏開滿。

別看現在他們比猪還蠢，
有那一天，心上迸出個突然的勇敢，
搗碎這黑暗的囚牢，
頭頂落下一個光天。

五，一九三二。

神女

天生一雙輕快的脚，
風一般的往來周旋，
細的香風飄在衣角，
地衣上的花朵開滿了愛戀。
（她從沒說過一次疲倦。）

她會用巧妙的話頭，
敲出客人苦澀的歡喜，
她更會用無聲的眼波，
給人的心塗上甜蜜。

(她從沒吐過一次心跡。)

紅色綠色的酒，
由一朵春花在她臉上，
肉的香氣比酒還醉人，
她的青春火一般的狂旺。
(青春跑的多快，她沒暇去想。)

她的喉嚨最合適歌唱，
一聲一聲打的你心響，
歡情，悲調，什麼都會唱，
只管說出你的願望。

(她自己的歌從來不唱。)

她獨自支持着一個孤夜，
燈光照着四壁幽悵，
記憶從頭一齊亮起，
噓一口氣，她把眼合上。
(這時，宇宙只有她自己。)

一九三三，元旦。

當爐女

去年，什麼都是他一手擔當，
喉嚨裏，痰呼呼的響，
應和着手裏的風箱，
她坐在門檻上守着安詳，
小兒在懷裏，大兒在腿上，
她眼睛裏笑出了感謝的靈光。

今年，是她親手拉風箱，
白絨繩拖在散亂的髮上，
大兒捧住水瓢蹀躞着分忙，

小兒在地上打轉，哭的發了狂，
她眼盯住他，手卻不停放，
敢果咬住牙根：「什麼都由我承當！」

八，一九三二。

洋車夫

一片風嘯湍激在林梢，
雨從他鼻尖上大起來了，
車上一盞可憐的小燈，
照不破四周的黑影。

他的心是個古怪的謎：
這樣的風雨全不在意，
呆着像一隻水淋雞，
夜深了，還等什麼呢？

一九三二。

販魚郎

魚在殘陽中閃金光，
大家的眼亮在魚身上，
秤桿在他手底一上一下，
他的臉是一句苦話。

人們提着魚散了陣，
把他剩給了黃昏，
兩隻空筐朝他看，
像一雙失望的眼。

「天大的情面借來的本錢，
末了賺回了不夠一半，
早起晚眠那不敢抱怨，
本想在苦碗底撈頓飽飯。」

暗中潮起一陣腥氣，
銀元譏笑在他的手裏，
雙手拾起了空筐，當他想到：
家裏挨着餓的希望。

四，一九三二。

漁翁

一張古老的帆篷，
來去全憑着風，
大的海，一片荒涼，
到處飄泊到處是家。
老練的手
不怕風濤大，
船頭在浪頭上
衝起朵朵白花。
夕陽裏載一船雲霞，
靜波上把冷夢泊下，

漁翁

三月裏披一身煙雨，
朧月天飄一簑衣雪花。
一支櫓，曳一道水紋，
駛入了深色的黃昏，
在清冷的一絃星光上
撥出一串寂寞的歌。
聽不盡的濤聲，
一陣大，一陣小——
饑困的吼叫，冷落的歎息
飄滿海夜了。
死沈沈的海上，
亮着一點火，

52

那就是我的信號、
啓示的不是神祕，是淒涼。

六，一九三三。

歇午工

放下了工作，
什麼都放下了，
他們要睡——
睡着了，
鋪一面大地，
蓋一身太陽，
頭枕著一條疏淡的樹蔭，
這個的手搭上了那個的胸膛。
一根汗毛，
挑一顆輕容的汗珠，

汗珠裏亮著坦蕩的舒服。
陽光下，鐵色的皮膚上
開一大片白花，
粗暴的鼾聲扣著
呼吸的勻和。
沈睡的鐵翅蓋上了他們的心，
連個輕夢也不許傍近，
等他們靜靜地
睡過這困人的正晌，
爬起來，抖一下，
湧一身新的力量。

六，一九三三。

到都市去

小跛的影子，搖着大野的黃昏，
搖着孤燈下母親的心，
這是第一遭他走沒了門前的青山，
他歡喜，彷彿是逃開了災難。
都市的影子
牽着他的小心飛，
用一枝想像的彩筆，
在上面亂塗些美麗的顏色。
他想：那兒一定也有青天，
青天上綴着一樣的太陽，星星和月亮，

可是青天底下的一切安排，
全然是兩個樣。
那時，他再不是沒用了，
山大的一盤機器，
靈動的在他的指尖上飛轉，
工作只是好玩，好玩着
度過這快活的時間。
那裏日夜全是熱鬧一片，
一個人帶一張幸福的臉，
晚上，全不需要月亮，
可是你能從地上認取毫芒，
你只管隨意遊走，一步是一個異境，

到處預備好了歡迎，
這眞叫人奇怪，這張天空
就是蓋着他故鄉的那張天空。
他爬到摩天的樓上，
用北斗去測量他的家鄉，
他願化一隻小鳥
把母親的夢馱到這都市上，
那她便不會無稽的過慮，
像他臨走時那一套囑咐：
「孩子，你離開了家，我跟去了一個心，
聽說機器比猛獸還凶，那不是玩，
一個人命會死在一點的不謹愼！

你數從都市回來了幾個人？
回來的有幾個不是一個瘦頭挑兩根瘦筋？
孩子，我願你回心轉意，
能早回到家鄉，
回來時還和去時一樣。」
快樂飛在他的脚步上，
心裏馳騁着美麗的想像，
黃昏沒了他的影子，
口嘯的幽韻在大野中飄漾。

五，一九三三。

號聲

像狂叫的西風摧捲秋雲，
這號聲吹着這殘夜，
打打地，打打地，
也吹動了我早醒了的心。
這聲音我是聽熟了的，
那是在戰場上，
隔着霧，隔着雲山，
趁這乍明還黑的傾刻，
用最凶的礮火奪取明天。
這刻又聽到這聲息，

我聆悟了一個偉大的啓示！
它是火把，點亮了人心，
那些人向來是低着頭，
在黑暗中緊咬住牙根；
它又像大聲的耳語，
說破了什麼，
打打地，打打地，一遍又一遍，
彷彿怕你不相信。
接着來了一陣狂烈的暴亂，
像倒洩了黃河，像翻了天，
沒有怯懦，沒有憐憫，
這邊一羣冒火的眼睛

直射着對面的另外一羣
短刀碰着短刀，那聲響
是狂飈衝入了霜林？
刀尖上迸出了心底的火花，
照亮了黑夜，映出一個一個的血人！
這是最後一次的戰爭，
誰也不肯叫不遠的太陽
照着自己也照着敵人！
天亮了，我看見了個不同的早晨。
一道一道通紅的陽光，
晃在一羣工人
籠着汗氣的笑臉上。

十一月，一日，一九三三。

逃荒（報載二百萬難民忍痛出關，感成此篇）

幾莖蘆荻搖着大野，
秋的宇宙是這麼寥廓，
在這樣寥廓的碧落下，
卻沒寸地容我們立脚！
一條無形的鞭子揚在身後，
驅我們走上這同樣的路，
心和心像打通了的河流，
衝向天涯，挾着怒吼！
不要回頭再一望家鄉，
它身上負滿了礮火的創傷，

（這炮火卑汚的氣息叫人惡心，
也該感謝，它重生了我們。）
橫暴的鋒銳入骨的毒辣，
大好田園災難當了家。
沒法再想春大半熱的輭土炙着脚心的癢癢，
牛背上馱着夕陽；
過了一陣夏天的雨，
跑去田野聽禾稼刷刷的長；
秋場上的穀粒在殘陽中閃着黃金，
荒郊裏剩半截禾梗磨着秋响；
嚴冬的炕頭最是温柔，
妻子們圍着一盆黃粱。

這一些，這一些早成了昨夜的夢，
今日的故鄉另是一個模樣。
一步一個天涯，我們在探險，
脚底下陷了冰窖，說不定對面騰起青山。
我們沒有同胞！上帝掌中的人們
不要在這些人身上浪費一聲虛僞的嗟歎，
秋風倒有情，張起了塵帆，
一程又一程，遠遠的送着，
山海關的鐵門一閉，
從此我們沒了祖國！

十一月，三日，一九三三。

都市的夜（前有此作，嫌不盡致，再賦此篇）

掛滿了網絡的紅絲，
這睜大着的一隻興奮的眼睛，
像被淫污過一萬遍的女子。
浮腫的眼皮上兒不住平靜。
天上找不到媚眼的羣星，
沒法指着北斗來定季候，
辨不清渺茫銀河的一片靜，
也看不見彤雲擁着月亮走；
萬點燈火在半空交流，
像無數的心臟在極度的跳動。

地上燒着地獄的火紅，
是那麼熊熊的一大片，
雜亂的影子各奔着生命，
脚跟彷彿怕沾着火焰。
一條一條火龍掠地飛騰，
帶一點發急的吼吟；
斑爛的猛虎到處亂衝，
亮著一雙可怕的眼睛；
八隻馬蹄拼命的向前，
顧不及負轎平衡的安祥；
人力車最是笨重得可憐，
像一隻螞蟻曳一個螳螂，

一片浮响兒着這都市，
是惡魔用複音作惡罪的宣揚。
這樣古老的趣味
沒法叫它的夢知道：
深巷裏犬吠春星，
五更頭一聲鷄鳴，
輕夢繚繞著殘了的燈花，
紡績車上搖出的夜聲。
舞場的彩燈亮得昏迷，
照着神仙飄飄的羽衣
歌聲浮沈著醉了的心，
誰還想到這是在夜裏？

工廠的機器轉著人心，
也奏着樂那是軋軋的聲音，
震得人靈魂像雨打浮萍，
一惚一恍在迷昏中搖蕩，
這都市的夜眞值得贊頌，
它是地獄又是天堂，
它還大量的不偏不倚，
流溢清歌也不掩住滯塞的呼吸。
眞想它來個痛快的暴炸，
在死灰裏找點靜謐。

十一，一九三三。

再版後志

這本小書出世的影響，是我意想所不及的。許多先進的作家和朋友給了我最誇大的鼓勵，我歡喜，我也害怕。別人的彩是可以輕口喝的，可是自己最知道自己。我沒有偉大的天才，別的缺陷也還多，雖然人生的苦水已喝得夠酒。因此，我的詩將來會結一個多大的果，怕只有天知道。

我曾有一個值得驕傲的青春，然而只是那麼一閃，接著來的是無頭的惡夢。這樣，我流着酸淚寫了「變」。後來革命思潮蕩我到了武漢，在那兒打過前敵，把生命放在死上，終於在一個秋天我亡命到了塞外，從此脫離了革命戰線卑汚的活著，失敗後的悲哀使我寫了「像粒砂」。這一期是活在痛苦的矛盾中，不死的思想迫我寫了「天火」「不久有那麼一天」，雖然現在看起來，這兩篇東西已經有點不切合更偉大的現實，

老早心裏爲寫詩定了個方針。第一要盡力揭破現實社會黑暗的一方面（於今看來，當然覺得這還不夠）再就是寫人生永久性的眞理「烙印」裏的二十二篇詩，確也沒出這個範圍。寫「洋車夫」「販魚郎」「老哥哥」：這些可憐的黑暗角落裏的人羣，我都是先流過淚的，我對這些同胞，不惜我最大的同情，好似我的心和他們的連結在一起。

我寫詩和我爲人一樣，是認眞的。我不大亂寫。常爲了一個字的推敲一個人踱盡一個黃昏；爲了詩的衝動，心終天的跳著，什麼也沒法做，飯都不能喫。有時半夜裏詩思來了，便偷偷的燃起臘來在破紙上走筆，這其中的趣味只有自己享受，然而這趣味也着實毀了我。我現在身子病著，心也病著，「心與身爲敵，」我便是這樣了。

人在年青的時候，什麼都是生力的吸引，一近中年，彷彿一切全成了空。昔日認爲生命把手的友誼，愛情，也都有點不穩。這時支持著我的惟一的力量便是詩！詩可以表現我的思想，可以寄托我的崛強與傲慢——對現在卑污社會的崛強與傲慢。它能使我活的帶點聲響，能使我有與全世界惡勢力爲敵的勇氣，它把我臉前安上個明天。我是忠實於它的，我能爲它而死。

我討厭神祕派的詩，也討厭剝去外套露出骷髏的詩。我有一個野心，我想給新詩一個有力的生命。過去我是這麽做的，雖然那只是初步。我願做關西大漢敲着鐵板唱大江東去！我過後的東西在思想上沒有一條統一的路，有許多地方觀察和表現都不夠準確。形式方面也太覺侷促。最近的筆似乎放開了些，思想也上了正路。我眞希望自己將來再進一步能寫一點更偉大的東西，（老舍先生說我的詩是「石山旁的勁竹，希望它變株大松」這的是知心的話！）像一顆彗星拖着光芒到處警告着世界大的轉變這就要來到。

再版加了四篇詩，「到都市去」是舊作，三篇新作中我自己喜歡「號聲」和「逃荒」這些詩雖說不上變風格，可是於中加上了些什麼，聰明的讀者們，不用我點也一定會看出來的。

在這本小書的完成上，夏丏尊先費過了心，友人王瑩就近代爲校定，不勝感謝。

克家志　十一月，一九三三於青島。

民國廿三年三月初版發行

烙印

實價大洋二角

（實價不折不扣
外埠酌加寄費）

著者 臧克家

發行者 章錫琛

印刷者 美成印刷公司

有著作權 * 不許翻印

總發行所 上海福州路開明書店

分發行所 南京北平漢口廣州長沙開明書店分店

（詩460）